Los

Carmen

Verónica Moscoso

Editado por Blaine Ray y Contee Seely

Nivel 3

Una novelita para tercer año

9830 South 51st Street
B-114
Phoenix, AZ 85044
Phone: (888) 373-1920
Fax: (888) RAY-TPRS (729-8777)
info@tprsbooks.com
www.TPRSBooks.com

y

Command Performance Language Institute
28 Hopkins Court
Berkeley, CA 94706-2512
U.S.A.
Tel: 510-524-1191
Fax: 510-527-9880
E-mail: info@cpli.net
www.cpli.net

Los ojos de Carmen
is published by:

TPRS Books,
which features TPR Storytelling products and related materials.

&

Command Performance Language Institute,
which features Total Physical Response products and other fine products related to language acquisition and teaching.

To obtain copies of ***Los ojos de Carmen***, contact one of the distributors listed on the final page or Blaine Ray Workshops, whose contact information is on the title page.

Vocabulary by Contee Seely and AnneMarie McCann
Cover art by Pol (www.polanimation.com)

Primera edición: julio de 2005
Decimocuarta impresión: mayo de 2017

First edition published July, 2005
Fourteenth printing: May, 2017

Impreso en Estados Unidos de América en papel sin ácido y con tinta a base de soya.

Printed in the U.S.A. on acid-free paper with soy-based ink.

ISBN 10: 0-929724-92-5
ISBN 13: 978-0-929724-92-8

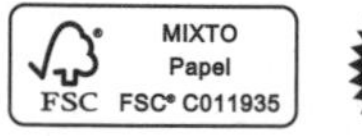

Capítulo uno

Me llamo Daniel y quiero contarte una historia. Todo comenzó el año pasado cuando mi mamá me regaló una cámara de fotos digital. Comencé a tomar fotos de cualquier cosa, de flores, paisajes, mi familia o mis amigos. Después empecé a ver el mundo con otros ojos. Encontré belleza por todas partes, por ejemplo: en la forma y el color de una hoja en otoño, la gracia con la que se mueve una ardilla o la expresión en la cara de mis amigos cuando ríen.

Comencé a leer sobre fotografía. De vez en cuando iba a ver exposiciones de fotógrafos y también empecé a practicar más y más. Mi mamá estaba muy contenta y decía que no era común que un adolescente como yo tenga tanto interés en el arte. Decidí que ésa iba a ser mi carrera; quería estudiar fotografía en la universidad. Mi papá no estaba contento con la idea. Él decía que hay demasiadas personas que se dedican a la fotografía y que no ganan ni un centavo.

Mi mamá, en cambio, opinaba que yo debía dedicarme a lo que más me gustara. Ella decía que a la persona que demuestra profesionalismo y originalidad siempre le va a ir bien. Mi papá no estaba convencido y me recordaba que cuando yo era niño decía que quería ser abogado como él. A él le parecía un desperdicio que un chico que tenía tan buenas calificaciones como yo, sea un "simple fotógrafo".

Un día descubrí en el Internet un concurso juvenil de fotografía. Pensé que era una oportunidad excelente. No sabía si iba a ganar el concurso o no, pero soñaba que sí y que me premiarían y que por fin mi papá iba a creer en mí. Le comenté sobre el concurso a mi mamá. Ella dijo que yo definitivamente debía participar, pero pensamos que lo mejor era mantenerlo como secreto. Mi papá no tenía que saber nada. Así, si yo ganaba, le dábamos la sorpresa a él, y si no ganaba, no pasaba nada.

Una semana después mi mamá me hizo una propuesta que me dejó impresionado. Me habló sobre el tío Andrew, que es un primo lejano suyo casado con una mujer ecuatoriana. Ahora el tío Andrew y su esposa Carolina viven en Ecuador y tienen dos hijos más o menos de la misma edad que yo. Mi mamá proponía que yo pasara un verano en Ecuador con esta familia.

Según mi mamá, iba a ser una gran oportunidad para practicar español y además para tomar excelentes fotos. Ella piensa, y estoy de acuerdo, que cuando vas a un sitio nuevo, te das cuenta de detalles que otros no notan y puedes tomar excelentes fotografías.

Era una decisión difícil porque mis veranos eran geniales. En verano yo descansaba de la escuela y me relajaba; pasaba con mis amigos; veía la tele; oía música y me metía en el Internet. Con mis padres habíamos viajado fuera del país muy pocas veces, pero a Europa. Nunca pensé viajar yo solo a un país como Ecuador.

Capítulo dos

Cuando estaba sentado en el avión con destino a Ecuador, tenía un poco de miedo. No sabía si la decisión de viajar había sido la correcta. Pero había visto fotografías y videos de Ecuador y me parecía un país genial. Era casi increíble que un país tan pequeño pudiera tener distintos tipos de climas al mismo tiempo. Ecuador tiene: la sierra, que es la parte de las montañas de los Andes; la costa, que es tropical con unas playas bellísimas; la selva, que es parte de la Amazonía, y encima de todo eso, las increíbles Islas Galápagos también son parte de Ecuador.

Mi tío Andrew y su familia estaban felices de recibirme. Eso también era una aventura porque yo sólo me acordaba muy poquito de la cara de mi tío. Y era la primera vez en mi vida que iba a vivir en la casa de una familia que no era la mía. El viaje fue largo, pero yo me divertía tomando fotos desde el avión. Las nubes también pueden tener formas muy interesantes.

Cuando por fin llegué, mi corazón empezó a latir rápidamente. Me di cuenta de las facciones indígenas en la mayoría de las personas. Si bien es cierto que en el Ecuador hay una pequeña población negra y una población indígena, la gran parte de los ecuatorianos son mestizos. Los mestizos son el resultado de la mezcla que se dio hace más o menos 500 años entre los españoles conquistadores y los indígenas nativos. La mayoría de mestizos tienen la piel morena y obvios rasgos indígenas, pero también hay mestizos de piel blanca y ojos claros.

Mi español no era perfecto, pero era suficiente para comunicarme con los oficiales de la aduana sin problema. Mi tío Andrew y su familia me estaban esperando en el aeropuerto. "BIENVENIDO DANIEL" decía un letrero y era fácil distinguir a mis parientes porque mi tío era un perfecto "gringo" y sus dos hijos, Fernando e Isabel, también se veían muy blancos como él. Carolina, la esposa, se veía mestiza. Fue fácil distinguir esta familia de gente tan blanca en medio de las caras mestizas e indígenas de los demás en el aeropuerto.

Para mi sorpresa todos los de la familia me abrazaron y tanto mi prima Isabel como mi tía Carolina me besaron en la mejilla. Ese fue mi primer shock cultural. Me puse rojo de la vergüenza después de recibir sus besos. Después me di cuenta que en Ecuador, como en otros países latinoamericanos, las mujeres saludan con un beso en la mejilla a los hombres y también se saludan entre ellas así. Los hombres, en cambio, se dan un apretón de manos. No se besan.

Al salir del aeropuerto tuve mi segundo shock cultural: dos niños se acercaron a pedir caridad. A lo largo de mi estadía en Ecuador me acostumbré a ver a estos niños pobres en la calle, pidiendo caridad o vendiendo flores, dulces o chicles. En California nunca había visto que los niños estuvieran en la calle trabajando o pidiendo caridad. Sentí pena y me pareció injusto.

Me habían recomendado que al llegar a Quito, la capital del Ecuador, descansara los primeros días, por la altura. Quito es la segunda capital más alta del mundo. Está a 2.850 metros de altura sobre el nivel del mar. La capital más alta es La Paz en Bolivia. Quito es una ciudad construida en las faldas de un volcán de la cadena de montañas de los Andes, que se llama Pichincha. El Pichincha ¡es un volcán activo! Hace unos años botó tanta ceniza que cubrió toda la ciudad. Por suerte los quiteños solo tuvieron que limpiar la ciudad y no hubo mayor problema.

Cuando llegamos a la casa de mi tío, era como estar de vuelta en los Estados Unidos. Tanto Fernando como Isabel tenían su propia computadora, la televisión tenía cable y la casa era muy cómoda. Todos en la familia hablaban perfecto inglés, así que yo no practicaba mi español con ellos. La casa era enorme, mucho más grande que la casa de cualquiera de mis amigos en California. Habían preparado un cuarto para mí, y yo tenía mi propio baño.

Tenían dos mascotas: una gata que se llamaba Miau y un perro que se llamaba Loco. Nadie en la familia cocinaba, limpiaba la casa o cuidaba las mascotas. Tenían dos empleadas que se encargaban de todos los quehaceres domésticos. Mi tío tenía mucho dinero y estaba rodeado de mucho lujo.

Mi mamá me había dicho que el tío Andrew trabajaba para una petrolera y que ganaba mucho dinero, pero no me imaginaba tanto. Era interesante estar allí en esa casa de ricos y me preguntaba ¿cómo iba a ser mi estadía en Ecuador con esa familia? Definitivamente, muy distinta de lo que yo me imaginaba. ¿Qué tipo de fotografías podía tomar?

Capítulo tres

Mis primos eran mis mejores amigos. Fernando tenía un sentido de humor genial. Era difícil no reír cuando estábamos juntos. Isabel era la chica más dulce del mundo. Sentía que ellos eran los hermanos que nunca tuve. Fernando tenía 19 años, era mayor a mí con dos años. Isabel tenía 16, era menor a mí con un año. Aunque a veces se peleaban entre ellos, ambos salían juntos a fiestas y compartían los mismos amigos.

Mis primos eran extremadamente amables y yo estaba muy impresionado. Me trataban como al invitado de honor. Siempre estaban pendientes de que yo me sintiera bien. Me llevaban a sus fiestas y me presentaban a sus amigos. Jamás había estado con gente tan amigable, chistosa y divertida.

Todos los fines de semana algún amigo o amiga de mis primos organizaba una fiesta. Yo pensaba que mis primos eran muy populares. Luego me di cuenta que, en realidad, todos eran populares. Todos se conocían con todos. Y si invitaban a uno de sus amigos a una fiesta, él podía traer muchos más amigos que no estaban invitados, y no había problema.

En Ecuador una fiesta no es fiesta si no hay música. Se baila de todo: salsa, merengue, ballenato, rock, pop, tecno, hip hop... Salíamos a clubes, pero siempre las fiestas en las casas de la gente eran mejores. Además Isabel no tenía permiso para ir a clubes. Fernando sí. En Ecuador uno es mayor de edad a los 18 años.

Otro shock cultural era el hecho de que aunque se hacían fiestas con música a todo volumen, los vecinos no se quejaban. Nadie llamaba a la policía. Mis primos decían que si alguien hacía fiestas muy seguido, entonces ahí sí los vecinos se iban a enojar, pero una fiesta ruidosa una o dos veces al año no era problema.

Nunca tuve tanta suerte con las chicas. Las amigas de Isabel eran lindísimas la mayoría y, claro, como yo era el invitado especial, me daban mucha atención. Tomé muchas fotos pensando que de vuelta en California mis amigos iban a ver las amigas tan guapas que yo tenía. Además, esto de saludar con beso a las chicas era una costumbre que me gustaba mucho.

Mis primos iban a una escuela que se llamaba Colegio Americano, y era por eso que su inglés era tan bueno. Era una escuela bilingüe, una de las más caras. Sus amigos también iban a esa escuela o a otras escuelas privadas y bilingües. Luego supe que los lunes en esa escuela ¡cantaban el himno de los Estados Unidos! Mi prima no quería comprar chicles o ropa o shampoo ecuatorianos; todo tenía que ser americano.

Algo que me hacía mucha gracia era que en este país, como en muchos otros países de Latinoamérica, tienen la costumbre de ponerles el nombre de María a casi todas las chicas. Mi prima se llama María Isabel. Conocí a algunas: María Verónica, María Cristina, María Belén, María Gloria. De todas esas Marías había una que me volvió loco. María Fernanda era una de las amigas de mi prima y me encantaba.

Como yo estaba de suerte, María Fernanda y yo nos hicimos novios. Pasé tres semanas de locura. En California nunca me hubiera divertido tanto o conocido a tanta gente como en Quito.

En una llamada telefónica a mi mamá y con mucha emoción le conté lo bien que estaba pasando en Ecuador. Ella se puso muy contenta y me preguntó dos cosas: ¿Has tomado fotos interesantes? y ¿Cómo está tu español?

Capítulo cuatro

La fotografía era algo en lo que yo estaba muy interesado, y sí, tomé muchas fotos, pero en realidad ninguna me parecía especial. Eran fotos tomadas en Ecuador pero eran exactamente iguales a las fotos que yo podría tomar en California. Y, definitivamente, había practicado muy poco mi español. Decidí hablar sobre eso con mis tíos y primos.

En ese mismo instante mi tío decidió que yo debía recorrer el Centro Histórico de la ciudad. En la noche mis primos y yo fuimos al centro de la ciudad. Yo sentí que estaba transportado en el tiempo porque en el centro se puede ver arquitectura de la época de la colonia, es decir, del siglo XVI. Tomé muchas fotos. No había estado antes en un lugar igual. Las iglesias eran tan antiguas y estaban iluminadas y mis primos me contaban leyendas mientras recorríamos el lugar. Me quedé encantado y me di cuenta que necesitaba recorrer el país. El centro de la ciudad era tan diferente al norte. ¿Qué otras sorpresas me podía dar el Ecuador?

Estaba decidido. El siguiente fin de semana nos íbamos de paseo para que yo pudiera tomar fotos del país. Además la familia se dio cuenta de que lo mejor era hablar solamente en español conmigo. Sin embargo, era difícil hablar en español con mis primos. Empezábamos a hacerlo, pero su inglés era mejor que mi español, así que la conversación terminaba en inglés. Lo mismo me pasaba con María Fernanda, mi novia.

Llegué a la conclusión de que lo mejor era hablar con alguien que no tuviera idea de inglés y me di cuenta que había dos personas en la casa con quienes yo podía practicar español. Las empleadas hablaban español, pero aunque me trataban con mucho respeto, no eran nada amigables conmigo. Era como si hubiera una pared invisible entre nosotros. Decidí romper la pared y ayudarles a cocinar.

María Rosa y Juana, así se llamaban las empleadas, rieron con asombro cuando les dije que quería ayudar. No querían aceptar mi ayuda, pero insistí tanto que finalmente aceptaron. En realidad se sentían muy incómodas al principio. Mientras les ayudaba, hablamos y conocí un poco de la vida de estas mujeres. Rosa tenía 40 años y vivía con su esposo y sus tres hijos. Juana tenía 22 años, era madre soltera, trabajaba en la mañana en la casa de mis tíos y en la noche iba a una escuela nocturna.

Era terrible, pero en tres semanas de estar en Ecuador, yo les había ignorado totalmente a estas mujeres y recién en ese momento había un contacto con ellas. Su comportamiento era tan diferente al comportamiento de los otros ecuatorianos que había conocido. Era como que tenían vergüenza de que yo estuviera allí con ellas.

Isabel y María Fernanda llegaron a la casa justo cuando yo estaba hablando en español con las empleadas. Me miraron en forma extraña, pero pensé que era mi imaginación. Les agradecí a Rosa y a Juana por permitirme conversar con ellas y fui a reunirme con mi prima y mi novia.

Como se acostumbra con los amigos de mis primos, prendimos la radio y nos sentamos en la sala a conversar. Luego mi novia se fue y entonces Isabel me dijo algo que me incomodó muchísimo.

Me dijo que no debería mezclarme con la servidumbre. Este comentario fue como un golpe para mí. Me sentí muy mal, como si accidentalmente hubiera hecho algo incorrecto. Solo se me ocurrió decir que necesito practicar español. Isabel hizo otro comentario que me dejó más sorprendido aún. Dijo que mi novia seguramente pensó que era ridículo que yo estuviera mezclándome con las empleadas. Entonces pensé: "Un momento... ¿qué tiene de malo?" Y se lo pregunté a Isabel y ella me contestó:

—Es la servidumbre.

Esa conversación con mi prima me despertó de una especie de sueño en el que había estado viviendo y me di cuenta que el Ecuador que yo conocía a través de la familia de mi tío Andrew era el Ecuador de una muy pequeña minoría. Vivíamos en el barrio de las casas grandes y nuevas, pero la ciudad entera era distinta. La gran mayoría tenía casas pequeñas y había pobreza. Mis primos eran blancos y casi todos sus amigos eran blancos también, a diferencia de la gran mayoría de gente de piel morena.

Yo conocía solo gente de clase alta, porque para mis amigos era muy importante saber si estabas en una escuela cara para aceptarte en el grupo. Íbamos a los centros comerciales donde las cosas en las tiendas costaban mucho dinero, pero había vendedores en la calle, bajo sol o lluvia en medio del smog vendiendo mercancía barata y ganándose la vida. Había guardias armados por toda la ciudad para cuidar edificios y locales comerciales, porque por supuesto había pobreza y robos.

Todo lo que mis primos me mostraban y de lo que se enorgullecían era lo americanizado del Ecuador: los amigos, los clubes, los centros comerciales. Por eso mis fotos no eran nada interesantes.

Capítulo cinco

Como habíamos quedado, el fin de semana salimos de Quito y fuimos a Otavalo. Carlos, el chofer, manejaba y a su lado iba mi tía Carolina; en el asiento de atrás estábamos Isabel y yo. Fernando se quedó en Quito. Tenía una fiesta que no se podía perder y mi tío también se quedó. Estaba ocupado, trabajando como siempre.

En el camino me puse un poco nervioso porque la carretera era peligrosa y llena de curvas. Pero Carlos manejaba muy bien. Recorriendo esas carreteras, vi lo lindo que es Ecuador y me sentí pequeñito en medio de la inmensidad de las montañas. Esta vez saqué mi cámara y tomé fotos de todo lo que me gustó. Los campesinos son indígenas que trabajan la tierra en las montañas. Los vegetales, las legumbres y el maíz que los campesinos plantan se ven a lo lejos como pedazos cuadrados de diferentes colores. Parece como que hubieran puesto encima de la montaña una colcha hecha con diferentes pedazos de tela.

Me fascina tomar fotos de los paisajes, pero más me gusta tomar fotos de personas. Cuando vi a las campesinas vestidas en su forma tradicional con esas faldas largas, blusas blancas y collares de color dorado, cargando a su bebé en sus espaldas, tomé algunas fotos. Mi prima dijo:

—Menos mal que tomaste fotos de mis amigos porque si solo mostraras las fotos de los campesinos, podrían pensar que todos somos indígenas.

El comentario me molestó muchísimo y le dije:

—¿Y qué tiene de malo ser indígena?

Isabel nunca me había visto enojado y se quedó muda de la impresión.

Después de tres horas de camino paramos en una fábrica de bizcochos, que son una especie de galletas muy ricas. Lo interesante de la fábrica es que cuatro personas están sentadas frente a una mesa que tiene mucha masa y estas personas agarran la masa y le dan forma de bizcocho. Luego el bizcocho va al horno. Es decir que en la fábrica todo se hace a mano. También compramos “queso de hoja”, que es un queso que tiene un sabor muy parecido al mozarella, pero a mí me parece mil veces más rico.

En el camino me llamaban la atención las casas viejas. Había muchas. Era triste ver su condición: las tejas, la madera, las sombras, las texturas; pero el hecho de seguir en pie les daba cierta belleza. Empecé a tomar fotos de las casas viejas. Entonces Isabel hizo otro comentario:

—Si les muestras estas fotos en California, van a pensar que Ecuador es así. Mejor toma fotos de otras cosas.

—Isabel, tú no sabes nada de fotografía — le dije.

Los comentarios de mi prima me estaban cansando y yo me estaba portando cada vez más frío y cortante con ella.

Por fin llegamos a Otavalo y fuimos al famoso mercado. El mercado de Otavalo es una feria al aire libre en donde los indígenas venden de todo, desde blusas hasta pipas. Las fotos que tomé allí sí me parecieron interesantes y diferentes. Y decidí recorrer el mercado en busca de imágenes. Mis compañeros de viaje estaban cansados y se quedaron en un restaurante esperando que yo volviera. Había mucho que ver y muchas cosas interesantes para comprar. Ni mi prima ni mi tía querían comprar nada en el mercado. Después pensé: "Claro, no es importado".

La feria no era tan grande y era imposible perderse. Me quedé fascinado en ese mercado lleno de colores, telares, artesanías e indígenas vestidos con su forma tradicional. Decidí tomar fotos de gente y cuando iba a empezar, vi caminando por la calle a una chica con una cara hermosa. No estaba vestida como los indígenas de la zona, pero sí vestía de forma sencilla. Era una chica mestiza de mi edad, entonces me acerqué a ella y le pedí permiso para tomarle una foto.

Me miró con sus ojos negros, se rió tímidamente y me dijo que no. En ese momento me di cuenta que la cara de ella era la foto que yo estaba buscando; la foto de esa chica con esa expresión tan única y con esos ojos tristes y al mismo tiempo llenos de vida y de emoción.

No acepté un no por respuesta. Además, aunque ella se negó, seguía sonriéndome y no se movía del lugar. Pensé que en el fondo, ella sí quería que yo le fotografiara. Pero también me di cuenta de algo. Yo quería conversar con ella. Quería ser su amigo. Entonces le pregunté si podíamos comer algo juntos. Muy tímida me dijo que no tenía dinero, entonces le dije que yo le invitaba. —No puedo demorarme. Tengo que volver a la casa— me advirtió. Entonces yo vi un lugar donde vendían sánduches y le dije que allí podríamos comer algo rápido.

Aceptó y entonces los dos pedimos sánduches de pollo y soda. Por fin supe su nombre; se llamaba Carmen. Tenía 14 años, estudiaba en una escuela nocturna y también trabajaba en una plantación de flores. Estaba en el pueblo de Otavalo porque su mamá le había pedido que hiciera unas compras y unas llamadas telefónicas. En su casa no tenían teléfono y se podía llamar pagando desde la tienda. Cuando me contó esto, pensé que yo siempre tengo mi celular.

Yo también le conté sobre mí y me hubiera gustado conversar más con ella, pero ella dijo que ya se había demorado mucho y tenía que irse. Solo se comió la mitad de su sánduche y envolvió la otra mitad en unas servilletas.

—Espera, pero no has terminado de comer

—le dije.

Ella me contestó con mucha naturalidad que la mitad del sánduche era para su madre. Me quedé mudo. No pude decir nada y me dolió su pobreza: su suéter roto, sus zapatos viejos y su bella cara redonda y morena.

Se levantó para irse y en ese momento otra chica de la misma edad entró en el restaurante, tropezó y se chocó conmigo. No se disculpó, pero sonrió y dijo:

—Hola, Carmen—.

Y después salió del lugar. Carmen puso una cara de susto, y sin despedirse de mí, salió corriendo.

Yo salí corriendo, buscando a Carmen, pero no la pude encontrar por ninguna parte. Caminé y pregunté a la gente si la conocían o si la habían visto, pero nadie la conocía.

Capítulo seis

Cuando por fin volví al restaurante donde estaban Carlos, mi prima y mi tía, vi que todos tenían las caras largas. Mi tía me miró con ternura y me preguntó:

—¿En Estados Unidos es de buen gusto dejar a la gente esperando dos horas y media?

¡Oh no! Dos horas y media! No me había dado cuenta. Les pedí mil disculpas y prometí que nunca más iba a pasar una cosa así.

—Okay —dijo Isabel— vamos de vuelta a Quito.

Yo quería quedarme más tiempo para ver si encontraba a Carmen o a alguien que la conociera. Entonces les dije que, si no les importaba, yo quería quedarme más tiempo y podría tomar un bus de regreso a Quito al día siguiente. Mi tía me dijo que no. Me dijo que puede ser peligroso, que yo soy su invitado y que ella tiene una responsabilidad con mis padres.

—¡Quiero quedarme! —insistí.—No me parece nada peligroso aquí.

Mi tía suspiró y, otra vez, me dijo que no. Dijo que si yo me quedaba, alguien tenía que quedarse conmigo. Yo decidí quedarme sin el permiso de mi tía, pero justo cuando quería sacar mi billetera para ver cuántos dólares tenía, me di cuenta que mi billetera había desaparecido.

Sin tener argumentos para contradecir a mi tía, esa misma tarde tuve que volver a Quito y me sentí como un tonto. No solo perdí mi billetera con unos pocos dólares, también perdí mi tarjeta de crédito y me di cuenta que mi tía tenía razón, puede ser peligroso.

Carlos, Isabel y mi tía estaban seguros de que alguien se robó mi billetera sin que yo me diera cuenta. Carlos me dijo que hay ladrones muy hábiles y que los "gringos", como yo, son muy inocentes y los ladrones saben eso y entonces aprovechan. Mi tía dijo que por suerte no se robaron mi pasaporte.

En el camino a Quito hablé poco y pensé en Carmen. Me daba un poco de vergüenza tener una vida tan fácil. Nunca había conocido a una chica de mi edad que trabajara tiempo completo y estudiara al mismo tiempo y nunca había conocido a una chica con una mirada así. Una foto de Carmen era perfecta para ganar un concurso. Pero más que su cara, sus ojos... los ojos de Carmen.

Aunque me había divertido mucho con mis primos y sus amigos ricos, este paseo a Otavalo me sirvió para entender que ese país pequeño llamado Ecuador tenía mucho que ofrecer y yo me lo estaba perdiendo. Quería ver más cosas, conocer más gente.

Capítulo siete

Las fiestas con los amigos de mis primos se terminaron para mí porque yo decidí conocer el Ecuador. Mi tía Carolina entendía mi necesidad de tomar fotos y explorar el país, pero también se sentía responsable por mí. Ella me ayudó. No permitió que yo fuera solo a ninguna parte, pero encontró varios tours en donde yo viajaba con grupos de gente. Sabiendo que yo estaba conociendo el país a través del turismo organizado, ella se sentía mucho más tranquila.

A veces mi primo Fernando me acompañaba en mis recorridos por el país. Había tanto que hacer en el Ecuador. El país, a pesar de ser más pequeño que California, tiene toda una variedad de climas: cálido, frío, húmedo, árido, etc. Y los climas se mantienen estables en cada zona geográfica y a lo largo de todo el año permitiendo disfrutar de cualquier actividad en cualquier mes del año.

A Fernando le gustaba acompañarme si los

tours incluían actividades como excursionismo, montañismo, kayaking, rafting, ciclismo de montaña, snorkeling, buceo o cualquier tipo de deportes extremos.

A mí, como buen fotógrafo, me interesaban los paisajes y los parques nacionales, pero sobre todo me interesaba la gente. Y a pesar de todo el turismo que hice a través del país, no me olvidé de los ojos de Carmen. Volví a Otavalo para buscarla, pero nunca la encontré. Sabía que trabajaba recolectando flores, pero no sabía donde. Y había muchas plantaciones de flores en la zona. Era muy difícil encontrar a Carmen.

Hice mucho turismo y tomé bastantísimas fotos. Y como estaba de arriba para abajo yendo de paseo, pasaba muy poco tiempo en la casa de mis parientes. Inevitablemente me separé de los amigos de mis primos. Ya casi no salía con ellos. Mi prima Isabel me veía como si yo fuera un extraterrestre, porque prefería estar de paseo y no con ellos. Y mi novia María Fernanda estaba muy enojada.

María Fernanda no me devolvía mis llamadas, algo que jamás entenderé. Pero la verdad es que no era ya tan importante para mí.

Mi prima en cambio se dedicó a hacerme la ley del hielo. No me hablaba. Eso me volvía loco, porque estábamos viviendo en la misma casa.

Un día no aguanté más y le pregunté a Isabel:

—¿Qué te pasa?

A lo que ella me contestó:

—A mí no me pasa nada, ¿a ti qué te pasa que ya no somos importantes?

Enseguida cerró la puerta de su cuarto en mi cara.

Me enojé mucho y me pareció que mi prima era muy dramática. Pero en realidad mi prima era lo más cercano que yo había tenido a una hermanita y su actitud me arruinó el día.

Yo sentía la necesidad de conocer el país lo mejor posible, pero también sentía la necesidad de llevarme bien con mi prima. Y me dolía que ella no pudiera entender eso. Por suerte, Fernando no era dramático. Él seguía siendo muy chistoso. Al menos uno de mis primos seguía siendo mi amigo.

Todo el día me sentí mal, pero en la noche las cosas mejoraron. Mi tío nos dio una gran noticia. Nos regaló a todos un tour a Galápagos. Todos íbamos por cinco días a las "islas encantadas". Increíble, ésa era una de las invitaciones más extraordinarias de mi vida. La familia ya había estado allí, pero hacía algunos años, y mi tía me dijo que vale la pena ir más de una vez.

Capítulo ocho

Hay tanto que decir sobre las Islas Galápagos que si empiezo, no termino nunca. Todo lo que vi y sentí en las Galápagos es tema suficiente para otro libro. Es el lugar más bello que he conocido en mi vida y el solo hecho de estar allí me hacía sentir feliz.

La gente no miente cuando dice que es un paraíso y yo obviamente tomé todas las fotos que pude. Así en California podría ver otra vez las imágenes y recordar siempre las interminables playas de arena clara; el agua color turquesa; las coloridas aves; los túneles de lava; las zonas de buceo y las tortugas gigantes, iguanas y otros animales raros... Nunca olvidaré este lugar.

El tour fue genial. Llegamos al aeropuerto de las Islas Galápagos y luego tomamos un crucero. El crucero hacía paradas en las islas principales que tenían atractivos como vegetación, animales interesantes y playas. Cuando parábamos en una isla, un guía nos llevaba por senderos especiales para turistas y nos explicaba sobre la fauna y flora del lugar y sobre las especies que son únicas en el mundo.

La guía de nuestro grupo se llamaba Kathy y era de Inglaterra. Ella tenía mucho que decir sobre las islas y era muy entusiasta mostrándonos las maravillas. Nos contó que la primera vez que estuvo en Galápagos fue como turista, pero se enamoró tanto del lugar que decidió quedarse a vivir ahí y consiguió trabajo como guía. Conociendo la belleza de las islas, su decisión no me sorprendió.

Aprendí que más que un lugar hermoso de mucho atractivo turístico, estas islas tienen un atractivo científico también. Charles Darwin estuvo en estas islas, investigando y estudiando y aquí fue donde desarrolló su teoría sobre la adaptación de las especies. Galápagos es un parque natural como no hay otro igual.

Una de las cosas que me voy a acordar siempre es que un día que mis primos y yo estábamos nadando en una playa, dos lobas marinas se acercaron nadando hacia nosotros y era como que estuvieran jugando. Y al poco rato un pingüino se acercó también. No nos tenían miedo. Nadamos junto a estos animales y nos sentimos totalmente felices de tener esta experiencia.

El clima era cálido, como a mí me gusta, y aunque me sentía bien con la familia de mi tío, sentía un placer especial cuando subía a la parte más alta del crucero y dejaba que el viento me despeinara mientras yo veía el mar. Era una sensación de calma mirar la línea del horizonte en el mar y respirar aire puro.

El tour fue por solo cinco días. Sin embargo esos pocos días yo los aproveché al máximo. El último día, como de costumbre, subí a la parte más alta y vi que una chica, una de las personas que hacían la limpieza en el barco, se veía muy familiar. Cuando yo veo una cara, no se me olvida nunca. Sabía que la había visto antes, pero no sabía dónde. Entonces de repente la reconocí. Era la amiga de Carmen, la chica que se chocó conmigo en el restaurante. Me emocioné mucho, porque tal vez ella me podía decir donde podía encontrar a Carmen.

Iba a correr a preguntarle por Carmen, pero vi algo que me dejó sorprendido. Esta chica se tropezó y se chocó con un turista y, aprovechando la confusión del hombre, le sacó la billetera de su bolsillo y se la guardó. Obviamente era ella quien había robado mi billetera en Otavalo. Sentí muchas cosas al mismo tiempo: enojo y susto y tenía ganas de gritar: ¡Ladrona, ladrona! Pero por algún motivo que desconozco, no lo hice.

Fui corriendo hacia ella y la enfrenté. Le dije:

—No voy a decir nada, te vi robando la billetera de ese hombre.

Los ojos de la muchacha eran ojos aterrorizados que buscaban donde correr a esconderse. Le repetí:

—No voy a decir nada, pero tienes que hacer dos cosas.

Sin otra salida, horrorizada y en silencio me escuchó.

—Lo primero que quiero que hagas es devolverle esa billetera a su dueño y lo segundo es decirme donde puedo encontrar a Carmen.

Primero la chica entregó la billetera al capitán del barco. Dijo que la había encontrado botada en el piso. El capitán le devolvió la billetera a su dueño. Luego, ella me escribió la dirección exacta de la escuela donde estudiaba Carmen en un papel. Nunca más volví a ver a esa chica en el barco. Pienso que estuvo escondiéndose de mí porque sabía que, si yo abría la boca, ella iba a tener muchos problemas.

Capítulo nueve

Cuando regresamos de Galápagos, ya solo me quedaba una semana en Ecuador. Lo primero que hice fue ir a Otavalo. Mi tía siempre preocupada por mí, le pidió a Carlos, el chofer, que me llevara. Así que fui por última vez a tratar de encontrar los ojos llenos de emoción de Carmen.

Esperé a la salida de su escuela y vi muchas caras parecidas a la de ella, pero me latía el corazón pensando que la chica del barco me había mentido. Pero no mintió porque Carmen estaba allí riendo con una amiga mientras caminaban a la puerta de salida.

Me acerqué a ella y cuando me vio, se asustó mucho y me dijo preocupada:

—Te prometo que yo no tuve nada que ver en el robo de tu billetera.

Yo sonreí y le dije:

—Yo sé que no.

—Entonces, ¿qué haces aquí? —me preguntó y en ese momento le invité a comer algo.

—Tengo que volver a mi casa pronto. Solo puedo quedarme un ratito —me dijo.

Como ella no podía quedarse mucho tiempo, entramos a un lugar donde vendían sánduches, pero esta vez compré tres sánduches: uno para mí, otro para Carmen y otro para la mamá de Carmen. Le conté como había conseguido encontrarle y donde había visto a su amiga robando.

Carmen me confesó que cuando su amiga robó mi billetera, ella se asustó mucho porque no quería acusar a su amiga, pero tampoco quería que me robara. No supo qué hacer. Entonces salió corriendo del lugar. Luego se dio cuenta que hacer eso fue muy tonto porque entonces yo iba a pensar que ella era cómplice del robo. Y también se dio cuenta que lo mejor hubiera sido convencerle a su amiga que me devolviera mi billetera, pero ya era demasiado tarde.

Carmen vio que hablé con mucho desprecio y mucho enojo de su amiga y me dijo:

—Mi amiga se llama Antonia y no es una chica mala. Lo que pasa es que su hermana mayor está muy enferma. Tiene cáncer y el tratamiento es muy caro. Es difícil pagar un buen doctor y hospitales. Antonia está desesperada.

Sentí mucha pena por Antonia y según lo que Carmen me contó, la vida de Antonia era difícil. La vida de Carmen también era difícil. Tan diferente a la de mis primos ecuatorianos que vivían en su burbuja de cristal. Pero pensé que mi vida era también diferente y mucho más fácil que la vida de personas como Antonia y Carmen. Pensé que en cierta forma yo también vivía en una burbuja de cristal en Estados Unidos.

Carmen era la hermana mayor de cuatro hermanos. Para mantener a la familia su mamá trabajaba todo el día en una fábrica de telares. El padre de Carmen hacía mucho tiempo que había abandonado a la familia y no ayudaba económicamente para nada. Por eso Carmen tenía que trabajar para ayudar con los gastos de la casa.

Me contó que la mayoría de trabajadoras en la plantación de flores son mujeres jóvenes, adolescentes como ella. Muchas mujeres ya tienen hijos y casi nadie tiene tiempo de ir a la escuela. La mayoría trabajan horas extras. Por suerte la mamá de Carmen le permite ir a la escuela en las noches.

En el trabajo en las plantaciones hay el riesgo de enfermarse, porque se usan una gran cantidad de químicos. Pero es un trabajo en donde se gana dinero, así que a pesar del riesgo Carmen trabaja en la plantación seis días a la semana y en temporadas como el 14 de febrero, le exigen trabajar siete días a la semana y faltar a clases.

Pensé que mi vida era tan diferente en California. Yo estaba lleno de juguetes tecnológicos: el teléfono celular, la computadora, el iPod y la cámara digital. Cuando no estaba estudiando en la escuela, seguramente estaría descansando, riendo con mis amigos o jugando juegos de video.

Carmen no se quedó mucho tiempo conmigo. Me dijo que su mamá era muy estricta y que si ella se demoraba mucho en llegar a su casa, iba a tener problemas. Me despedí de ella, pero antes le pedí que me dejara tomarle unas fotos. Un poco avergonzada, aceptó. Me di cuenta que aceptó porque se sentía obligada. Ella era tímida. Así que, por respeto, decidí solamente tomarle una foto para acordarme de ella en California. Cuando me despedí de Carmen, me dio pena no haberla conocido más. Me dio su dirección para poder seguir en contacto por carta.

Carlos, el chofer, y yo conversamos todo el camino de vuelta a Quito. Él me contó que Ecuador exporta gran cantidad de flores y que las plantaciones dan trabajo a mucha gente. Carlos también me habló de su vida y la vida de la gente de su país, y me dio sus puntos de vista sobre política. Me gustó mucho poder conversar con él así y sentir que podíamos ser amigos.

Después de llegar a Quito, vi los ojos de Carmen en todas partes: en el guardia que cuida la casa de mis tíos; en los ojos de Rosa y Juana, las empleadas que trabajan en la casa, y en los niños de la calle que venden caramelos o flores.

La comunicación con Carmen era difícil, porque ella no tiene teléfono. Y ni pensar en un teléfono celular. Ella vive una vida diferente. Yo pensaba todo el tiempo en ella. Cuando veía como se vestían mis primos y sus amigos, con ropa y zapatos de marca, me acordaba de Carmen, de su humildad y su pobreza.

Capítulo diez

Ya faltaba poco para volver a California y estos dos meses en Ecuador habían sido fabulosos. Había pasado excelente. Lo único que me molestaba era mi relación con mi prima Isabel. Había ido de mal en peor. Mi tía se dio cuenta de esto y habló conmigo.

—No me parece justo que ustedes se lleven tan mal. No les entiendo. Pero pienso que deben hablar. Especialmente ahora, antes de que regreses a Estados Unidos —me dijo mi tía.

—Pero tía, no soy yo; es ella la que se porta mal conmigo. Es ella la que ha cambiado conmigo —le contesté.

—Pueda que tengas razón, Daniel, pero de todas formas, por una cosa chiquita, ustedes no pueden perder la amistad que han tenido. Yo voy a hablar con Isabel también.

Me di cuenta que mi tía tenía razón y esa misma noche le pedí a Isabel que diera un paseo conmigo en el jardín de la casa. No sabía cómo empezar la conversación. Lo único que se me ocurrió fue preguntar:

—¿Por qué estás tan enojada conmigo?

Por suerte, Isabel fue honesta y me dijo:

—Porque no somos importantes para ti.

Me asombró su respuesta, y en seguida le dije que ella y su familia eran muy importantes para mí y le pregunté:

—¿Por qué piensas eso?

—Porque un buen día decidiste que ya no querías pasar tiempo ni conmigo, ni con mi hermano, ni con mi familia. Lo único que querías era ir a Otavalo para ver a esa chica. Te olvidaste de María Fernanda. De pronto ya no te gustaron ni las fiestas, ni la gente que te presentamos, ni los lugares a los que vamos.

—Isabel, tu familia ha sido maravillosa conmigo. Estoy muy agradecido por todo y pasé muy bien con ustedes y con sus amigos.

—¿Sabías que mi familia había planeado un viaje a Europa, pero cuando supimos que querías venir, decidimos quedarnos?

—¡Oh! No, no tenía idea.

—Pero tú decidiste simplemente que nosotros no éramos importantes.

—No, Isabel, no es verdad, ustedes son

importantes. Lo que pasa es que yo vine para conocer el Ecuador. Tú, tu familia y tus amigos son una parte muy chiquita de Ecuador, que me gustó conocer, pero yo solamente quería ver más. Tal vez te parezca raro, pero necesitaba ver más.

—Sí me parece raro—me dijo Isabel, enojada. —Yo quería que vieras lo lindo de Ecuador.

—Trata de entenderme. Para mí lo lindo de Ecuador es lo que le hace un país único. Piensa que me gusta tomar fotos. Para mí las fotos interesantes del Ecuador no son las cosas americanizadas. Las fotos interesantes son las cosas diferentes que me llaman la atención. Los centros comerciales, los edificios lujosos o la gente rica son cosas que puedo encontrar en Estados Unidos. En mi viaje y en mis fotos he buscado capturar lo que es inusual, lo diferente, lo que me llama la atención.

Mi conversación con Isabel fue larga, pero al final ella entendió mi punto de vista y yo el de ella. Nos dimos un abrazo y quedamos como amigos. Y así seguimos durante los pocos días que me quedaban en Ecuador.

Dos días antes de volar para Estados Unidos, mis primos organizaron una fiesta de despedida. Tengo que reconocer que nunca me había sentido tan popular en mi vida. Esa fiesta nunca la olvidaré. Les dije a todos: "Mi casa es su casa", porque de verdad quería que vinieran a California para poder ser tan amable con ellos como ellos habían sido conmigo. Para mantenernos en contacto intercambiamos direcciones de correo electrónico.

Capítulo once

Cuando volví a California, tenía la sensación de haber vuelto rico del Ecuador. No porque había regresado con dinero sino porque mi experiencia fue tan grande que sentí como si las experiencias fueran oro. Y las experiencias eran algo que nadie nunca iba a poder quitarme en la vida.

Le agradecí a mi mamá por haber tenido una idea tan brillante y haberme motivado a conocer ese país tan bello. Decidí que definitivamente iba a volver a Ecuador, y también decidí que quería conocer más países y recorrer el mundo tomando fotos.

Y para terminar esta historia quiero contar una buena noticia y es que gané el primer lugar del concurso de fotografía. Ahora, mi mamá me apoya y también mi papá. Nada puede cambiar mi decisión de dedicarme a la fotografía y a viajar.

No gané el concurso con la foto que le tomé a Carmen, pero sí con la última foto que tomé en terreno ecuatoriano. Fue una cosa inesperada. Antes de que yo entrara en el aeropuerto, un niño se acercó para pedirme caridad y vi en sus ojos los ojos de Carmen, el mismo color de piel morena y la cara redonda. Sentí mucha ternura y mientras el niño extendía su mano para pedir, le tomé una foto y luego le di un poco de dinero.

Pensé que la foto era buena, pero cuando la vi en mi computadora, la foto me encantó. Como por arte de magia, la cámara capturó la emoción en los ojos del niño. Eran unos ojos de adulto en una cara infantil, unos ojos tristes negros y brillantes.

En Quito mis amigos y familia se pusieron muy contentos con la noticia. Gracias a los correos electrónicos, me mantengo en contacto con ellos. También me mandan la música en español que está de moda allá y me dicen que me extrañan mucho. Nunca voy a olvidar las lágrimas de mi prima Isabel en el aeropuerto. De una cosa estoy seguro y es que a mis primos les voy a volver a ver. Tal vez ellos me visiten aquí en Estados Unidos.

Sigo en contacto con Carmen también. Nos escribimos cartas. Las cartas demoran más en llegar, pero me gustan porque practico mi español; son mensajes largos y les pongo más sentimiento. Ella me cuenta de sus estudios y de su trabajo. Me cuenta de sus sueños y de sus ganas de viajar. Espero que nos sigamos escribiendo y que algún día nos volvamos a ver.

FIN

VOCABULARIO

The words in the vocabulary list are given in the same form (or one of the same forms) that they appear in in the text of *Los ojos de Carmen* and only with meanings used in the story.

Unless a subject of an active verb in the vocabulary list is expressly mentioned, the subject is third-person singular. For example, *cuenta*? is given as *tells*. In complete form this would be *she, he or it tells*.

All verb forms that are not completely regular are listed. So are all subjunctive forms along with the contexts in which they occur in the story.

There are some tricky bits of Spanish in *Los ojos de Carmen*. If you don't find what you're looking for listed under a particular word, you may find it under another word that is in the same sentence.

One of the tricky things that might fool you is a "false friend," a word or phrase that seems to mean one thing because it looks or sounds like a word or phrase in English but actually means something else. A simple example is *arena*, the Spanish word for sand. Similarly, there are Spanish words that have regional meanings. Also, the context a word is used in may affect the meaning. For instance, *botada* means thrown; however, the phrase *botada en el piso* on page 34 means "lying on the floor." Confusion can also occur because a word has more than one meaning, such as *había*, which both is the helping verb *had* and means "there was" or "there were." Some other words that are worth looking up in the list because the meaning may be different from what it may seem to be are: *atractivo*, *cansando*, *caramelo*, *collar*, *empleada*, *fábrica*, *faldas*, *genial*, *gracia*, *guardó*, *himno*, *inocente*, *lo*, *local*, *los*, *parecido*, *pariente*, *parte*, *pasa*, *pasar*, *perder*, *puse*, *pusieron*, *puso*, several forms of *quedar(se)*, *seguir*, *sí*, *simple*, *sirvió*, *solo*, *telar*, *veía* and *ya*.

Sometimes the way words fit together can be confusing, especially some of the little "function" words. For example, under *punto de vista*, you'll find *ella entendió mi punto de vista y yo el de ella*. And under *sí*, you'll find *I. no tenía permiso ... F. sí.*

One important way that this story and this list can help you as you are learning Spanish is that you can see how words are put together in Spanish to express certain ideas. It is essential to understand clearly the meaning of each piece of a sentence in order to really know what is being expressed. Sometimes you may want to ask a Spanish teacher to explain the function of a word or of the ending of a word so that you can fully understand.

adj. = adjective, pl. = plural, p.p. = past participle

abajo: de arriba para abajo yendo de paseo going all over the place
abogado lawyer
abrazar to hug
abrazo hug (noun)
acercarse to move close, to approach
acerqué: me acerqué I moved close
acordarme de ella to remind me of her
acordarse (de) to remember
acostumbra: como se acostumbra as is the custom
acostumbrarse a to get used to
acuerdo: estoy de acuerdo I agree
además as well as, additionally
aduana customs
advirtió she warned
agarrar to grasp
agradecer to thank
agradecido thankful
aguanté: no aguanté más I couldn't stand it anymore
ahí in that case, there
al: al aire libre open-air
al año: una o dos veces al año once or twice a year
al llegar a when I arrived in, when I got to
al salir when I left
algo something
alguien someone
algún some
alta high, upper
altura altitude, height
amable nice, kind, polite

Amazonía Amazon region
ambos both
americanizado: lo americanizado Americanized things
amigable friendly
amistad friendship
antes (de, de que) before
antiguas ancient
apoyar to support
aprender to learn
apretón de manos handshake
aprovechar to take advantage
ardilla squirrel
arena sand
arriba: de arriba para abajo yendo de paseo going all over the place
arruinar to ruin
artesanías crafts
así like that, that way, that's what
  así que so
asiento de atrás back seat
asombro amazement
asombrar to surprise, to astonish
asustarse to get scared
aterrorizados terrified
atractivo attraction, appeal
atrás: asiento de atrás back seat
aún even
aunque although
avergonzada embarrassed
aves birds
ayudar to help
bajo under, below
ballenato (*or* **vallenato**) a genre of South American folk music
barata cheap
barco ship
barrio neighborhood
bastantísimas an awful lot of
belleza beauty
bellísimas very beautiful
bello beautiful
bien: lo bien que estaba pasando what a good time I was having
  si bien es cierto while there is no doubt
bienvenido welcome
billetera wallet
bolsillo pocket
botada en el piso lying on the floor
botó ceniza threw up ashes
brillante brilliant, shining
buceo (scuba) diving
buen: un buen día one fine day
burbuja de cristal glass bubble
busca: en busca de looking for, in search of
buscar to look for
cada each
  cada vez más more and more
cadena chain
cálido warm
calificaciones grades
cambiar to change
cambio: en cambio on the other hand
camino way, road
  en el camino on the way
  horas de camino hours on the road
  todo el camino de vuelta

all the way back
campesinos farmers
cansando: me estaban cansando were getting on my nerves, were bugging me
cansar to tire out
cantidad amount, quantity
caramelos candy
cargar to carry
caridad charity
pedir caridad to beg
caro expensive
carretera highway
carta letter
casado con married to
celular cell (phone)
ceniza ash
centro downtown, center
centro comercial mall
cercano: lo más cercano the closest thing
chicles chewing gum
chiquita small
chistoso funny
chocarse con to bump into
chofer driver, chauffeur
ciclismo de moñtana mountain biking
cierto: si bien es cierto while there is no doubt
claro of course, light-colored
clima climate
cocinar to cook
colcha quilt
collares necklaces
coloridas colorful
comencé I began
comenzar to begin
como as, like, since, because
como no hay otro igual like no other
como que as if
como si as if
tanto ... como both ... and
cómoda comfortable
compañero companion
compartir to share
cómplice accomplice
comportamiento behavior
concurso contest
conocer to know, to meet, to learn about, to get to know
conocían: todos se conocían con todos everybody knew everybody else
conociera: alguien que la conociera someone who knew her
haberme motivado para que yo conociera for having motivated me to get to know
conmigo with me
conseguido managed (p.p.)
consiguió got
contar to tell
contestar to answer
contradecir to contradict
corazón heart
correo electrónico E-mail
cortante curt, snippy, short, brusque
costumbre custom, tradition
como de costumbre as usual
creer to believe
cristal: burbuja de cristal glass bubble
crucero cruise ship
cuadrados square (adj.)

cualquier(a) any
cuando: de vez en cuando from time to time
cubrir to cover
cuenta tells
  darse cuenta (de) to realize
  se dio cuenta realized
cuidar to take care of, to guard
darse cuenta (de) to realize, to notice
deben you (pl.) should
debería I should (conditional)
debía I should (past)
decir: es decir that is to say
  hay tanto que decir there is so much to say
  tenía mucho que decir had a lot to say
dedicarse a to work in, to spend time (doing)
definitivamente definitely
dejar to leave, to let, to allow
dejara: le pedí que me dejara I asked her to let me
demás: los demás the others
demasiadas too many
demasiado too
demorar(se) to take (a long) time
demuestra demonstrates
deporte sport
desarrollar to develop
descansar to rest
descansara: me habían recomendado que ... descansara they had recommended that ... I rest
desconozco I don't know
desde from
desesperada desperate
despedirse to say goodbye
despedida: una fiesta de despedida a farewell party
despeinara: dejaba que ... me despeinara I let ... mess up my hair
desperdicio waste (noun)
despertar to wake up
desprecio contempt
después later, then, afterwards
  después de after
destino: con destino a on the way to
devolver to give back, to return
devolviera: hubiera sido convencerle a su amiga que me devolviera would have been to convince her friend to give me back
devolverle ... a su dueño to return ... to its owner
di I gave
  me di cuenta I realized
día: un buen día one fine day
dicho said, told (p.p.)
diera: sin que yo me diera cuenta without me noticing
diferencia: a diferencia de in contrast with
dije I said, I told
dijo said, told (past)
dimos: nos dimos we gave each other
dio gave
  me dio pena I was sorry, it made me sad
  se dio came about
  se dio cuenta realized
dirección address
disculpas: les pedí mil dis-

culpas I apologized profusely to them
disculparse to apologize
disfrutar to enjoy
distinguir to pick out, to distinguish
distinto different
divertida fun (adjective)
divertirse to have fun, to have a good time
dolía: me dolía I felt sorry about, it hurt me
dolió: me dolió I felt sorry about, (it) hurt me
dómesticos: quehaceres dómesticos housework
dorado gold (adj.)
dueño owner
dulce sweet (adj.), candy
edad age
edificios buildings
embargo: sin embargo nevertheless
emocionarse to get excited
empecé I started
empezar to start
empleadas maids
en el que in which
enamorarse de to fall in love with
encantaba: me encantaba I really liked
encantado charmed (adj.)
me quedé encantado I was charmed
encantó: me encantó I loved
encargarse de to be in charge of
encima de on top of, in addition to
encima de todo above all
encontrar to find
enferma sick
enfermarse to get sick
enfrentar to confront
enojado angry
enojarse to get mad
enojo anger
enorgullecían: de lo que se enorgullecían of which (they) were proud, that (they) were proud of
enseguida right away
entrara: antes de que yo entrara en before I went into
entregar to turn in, to deliver
envolver to wrap up
época time (period)
era was
éramos we were
eran (they) were
esconderse to hide (oneself)
espalda back
especie kind, species
esperar to hope, to wait
estables stable
estadía stay (noun)
estaría I would be
estricta strict
estudiara: nunca había conocido a ... que ... estudiara I had never met ... who ... studied
estuviera: era como que estuvieran it was as if they were
era ridículo que yo estuviera it was ridiculous that I was
nunca había visto que los

niños estuvieran I had never seen that kids were
tenían vergüenza de que yo estuviera they were embarrassed that I was
estuvo s/he was
excursionismo hiking
exigen: le exigen trabajar they make her work
explicar to explain
exposiciones exhibitions
extender to hold out
extraña weird, strange
extrañar to miss
extraterrestre alien
extremadamente extremely
fábrica factory
facciones features
faldas foothills, skirts
faltaba poco para volver there was little time left before returning
faltar to miss
feria fair
fin end
fin de semana weekend
por fin finally
final: al final at the end
fondo: en el fondo deep down
forma shape, way
de todas formas in any case
me miraron en forma extraña they looked at me in a strange way, gave me a strange look
fotógrafo photographer
frente a facing
fue was, went
se fue left
fuera go, were
como si yo fuera as if I were
fuera de outside (of)
permitió que yo fuera allowed me to go
fueran: como si ... fueran as if ... were
fui I went
fuimos we went
galletas cookies
gana desire (noun)
tenía ganas de I felt like
ganar to win, to earn
ganarse la vida to earn a living
gastos expenses
genial great, terrific
golpe blow
gracia gracefulness
me hacía ... gracia amused me
gran great
grande big, great
gringo white American male
guardia guard (noun)
guardó: se la guardó she put it away (on herself)
guía guide (noun)
gusto: de buen gusto polite
gustara: yo debía dedicarme a lo que más me gustara I should work in whatever (field) I liked (pleased me) the most
haber to have
haber vuelto to have come back
haberla conocido más to have gotten to know her better
por haber tenido for having had

por haberme motivado for having motivated me
había had, I had, there was, there were
habíamos we had
habían they had
hábiles skilled
hacia towards
hacía made, did
hacía algunos años it had been a few years
hacía fiestas gave parties
hacía mucho tiempo que long ago
me hacía ... gracia amused me
se hacían fiestas con música a todo volumen loud parties took place
hagas: quiero que hagas I want you to do
has you have
han you (pl.) have
he I have
hecho done, made, fact, act (noun)
el solo hecho the mere fact
hice I did
hiciera: le había pedido que hiciera unas compras y unas llamadas telefónicas had asked her to buy some things (to make some purchases) and to make some phone calls
hicimos: nos hicimos we became
hielo ice
hacerme la ley del hielo to give me the silent treatment
himno national anthem
historia story
hizo made
hoja leaf
horizonte: línea del horizonte horizon
horno oven
horrorizada horrified (adj.)
hubiera would have
como si hubiera as if there were
me hubiera gustado I would have liked
hubieran: como que hubieran puesto as if they had put
hubo there was
húmedo humid
humildad humbleness, humility
iba (I, he, she, it) would go, was going, went
íbamos: nos íbamos we were leaving
ido gone (p.p.)
igual same
no había estado antes en un lugar igual I had never been in a such place
importar to matter
importado imported (p.p.)
impresionado impressed (adj.)
incómodas uncomfortable
incomodar to make uncomfortable
increíble incredible
indígena indigenous (person)
inesperada unexpected
infantil child's
Inglaterra England
injusto unfair

inmensidad immensity
inocente naive, gullible
intercambiar to exchange
interminables endless
invitado guest, invited
ir: a la persona que ... le va a ir bien things will turn out well for the person who ...
irse to leave
jamás never
jardín garden, yard
juego game
jugar to play
juguetes toys
junto together
  junto a next to, beside
justo right
  justo cuando just when
juvenil youth (adj.)
la que (the one) that
lado side
ladrón, ladrona thief
ladrones thieves
lágrimas tears
largo: a lo largo de throughout
latía: me latía el corazón my heart was beating
latir to beat
legumbres vegetables (especially ones in pods)
lejano distant
lejos: a lo lejos from a distance
letrero sign
levantarse to get up
ley: hacerme la ley del hielo to give me the silent treatment
leyenda legend
limpieza cleaning (noun)
lindísimas really pretty
lindo beautiful
  lo lindo how beautiful, the beautiful part
llama: me llama la atención attracts my attention
llamada call (noun)
llegar to arrive
lleno full
llevara: le pidió a C. ... que me llevara asked to C. ... to take me
llevarse: llevarse bien to get along well
  llevarse mal to get along badly
lleven: no me parece justo que ustedes se lleven tan mal it doesn't seem right to me that you are getting along so badly with each other
lluvia rain (noun)
lo: a lo lejos from a distance
  lo americanizado Americanized things
  lo bien que estaba pasando what a good time I was having
  lo diferente the things that are different
  lo interesante the interesting thing
  lo lindo how beautiful, the beautiful things
  lo más cercano the closest thing
  lo mejor the best thing
  lo mejor posible as well as possible
  lo mismo the same thing
  lo primero the first thing

lo que what, whatever, which
lo segundo the second thing
lo único the only thing
todo lo que everything that
lobas marinas female sea lions
local place
loco: me volvió loco drove me crazy
locura craziness
los: a los que fuimos that we went to
luego later, afterwards, then
lugar place
lujo luxury
lujosos luxurious
madera wood
magia magic
maíz corn
mal bad, badly
de mal en peor from bad to worse
llevarse mal to get along badly
menos mal it's a good thing
malo: tiene de malo is bad about (it)
mandar to send
manejar to drive
mano: a mano by hand
mantener support, keep
mantenerlo como secreto keep it a secret
mantengo: me mantengo en contacto I stay in contact
mar ocean, sea
maravillas wonders (noun)
maravillosa wonderful
marca brand
masa dough
mascotas pets
mayor older, oldest, significant
la ... mayor the oldest ...
mayor a mí con dos años older than me by two years
mayor de edad of age
mayor problema big problem
mayoría most (of them), majority
medio middle
mejilla cheek
mejor best, better
lo mejor the best thing
mejorar to get better, to improve
menor a mí con dos años younger than me by two years
menos: al menos at least
más o menos more or less
menos mal it's a good thing
mensaje message
mentir to lie
mercado market
mercancía goods
merengue a genre of Latin dance
mestizos people of mixed Indian and Spanish blood
metía: me metía en el Internet I got on the Internet
mezcla mixture
mezclar to mingle
mía mine
miedo fear
tener miedo to be afraid
nos tenían miedo they were afraid of us
miente lies (verb)
mientras while
minoría minority

mintió she lied
mirada look (noun)
mismo same
lo mismo the same thing
mitad half
moda: de moda currently popular, in vogue
molestar to bother
montañismo mountain climbing
morena brown
mostrar to show
mostraras: si ... mostraras if ... you showed
motivo: por algún motivo for some reason
muda silent, mute
me quedé mudo I was dumbstruck, I fell silent, I didn't know what to say
se quedó muda de la impresión she was shocked into silence, was speechless, didn't know what to say, was dumbstruck
muestras: les muestras you show people
mundo world
nada nothing, not at all
no tuve nada que ver en I had nothing to do with
nadar to swim
nadie nobody
naturalidad: con mucha naturalidad quite casually
necesitar to need
negarse to refuse
ni ... ni ... neither ... nor ...
ninguna not one, none
ninguna parte nowhere
nivel level
nocturna night (adj.)
nombre: ponerles el nombre de M. a ...s to name ...s M.
notar to notice
noticia (piece of) news
novia girlfriend
novios boyfriend and girlfriend
nubes clouds
ocupado busy
ocurrió: se me ocurrió (it) occurred to me
ofrecer to offer
oía I listened to
olvida: se me olvida I forget
olvidar(se) (de) to forget (about)
opinar to express one's opinion
oro gold
pagar to pay
país country, nation
paisaje landscape, scenery
para for, (in order) to
no ... para nada not ... at all
para mi sorpresa to my surprise
para que so (that), to
paradas stops (noun)
paraíso paradise
parar to stop
parecer to seem
parecido similar
pared wall
parezca: tal vez te parezca it might seem to you, maybe it seems to you
parientes relatives
parte: en todas partes everywhere
la gran parte the great

majority
no ... a ninguna parte not ... anywhere
no ... por ninguna parte not ... anywhere
por todas partes everywhere
pasa: ¿qué te pasa? what's wrong with you?, what gives?
pasaba con I hung out with
pasado: el año pasado last year
había pasado excelente I had had a wonderful time
pasando: lo bien que estaba pasando what a good time I was having
pasar to happen, to spend time, to pass, to turn out
pasar bien to have a good time
pasar tiempo to hang out
pasara: proponía que yo pasara proposed that I spend
paseo outing
dar un paseo to take a walk
de paseo on an outing
pedazos pieces
pedí: le pedí a I. que diera un paseo I asked I. to take a walk
le pedí que me dejara I asked her to let me
les pedí mil disculpas I apologized profusely to them
pedir to ask (for), to request
pedir caridad to beg
pelearse to fight each other
peligroso dangerous
pena sadness
vale la pena it's worth it, it's worth the trouble
me dio pena I was sorry, I was sad
sentí pena I felt sorry, I felt sad
pendientes: estaban pendientes de que yo me sintiera bien they took care that I was comfortable
pensar (en) to think (about)
pensé I planned, I thought
peor worse
de mal en peor from bad to worse
perder to lose, to miss
perderse to get lost
perdiendo: me lo estaba perdiendo I was missing it
pesar: a pesar de despite, in spite of
petrolera oil company
pidiendo caridad begging
pidió asked, requested
piel skin
piensas you think
pienso I think
pipas pipes
placer pleasure
planear to plan
pobreza poverty
pocas few
poco little (noun and adjective of quantity, not of size)
al poco rato after a little while
poder to be able
podía could (past)
se podía it was possible, one could
podrían they could, they might

poner: ponerles el nombre de M. a ...s to name ...s M.
pongo: les pongo más sentimiento I put more feeling into them
poquito little bit
por because of, for
  por eso that's why
  por fin finally
  por respeto out of respect
portarse to act, to behave
preguntar to ask (a question)
  se lo pregunté a I. I asked this to I.
premiarían: me premiarían they would give me a prize
prender to turn on
preocupada por worried about
presentar to introduce
primer(a) first
principio: al principio at the beginning
prometer to promise
pronto soon
  de pronto suddenly
propio own (adj.)
proponer to propose
propuesta proposal
pude I could (past)
pudiera: me dolía que ella no pudiera it hurt me that she couldn't
pueda que it could be, maybe
  pueda que tengas razón you might be right
puesto put (p.p.)
  como que hubieran puesto as if they had put
punto de vista point of view
  ella entendió mi punto de vista y yo el de ella she understood my point of view and I (understood) hers
puse: me puse I became
pusieron: se pusieron they became
puso: puso una cara de susto looked frightened, got a frightened expression on her face
  se puso became
quedaba: me quedaba una semana I had one week left
quedaban: los pocos días que me quedaban the few days that I had left
quedado: habíamos quedado we had agreed
quedar to remain, to agree
quedarse to stay, to remain
quedé: me quedé encantado I was charmed
  me quedé fascinado I was fascinated
  me quedé mudo I didn't know what to say, I was dumbstruck, I fell silent
quedó: se quedó muda de la impresión she was dumbstruck, was shocked into silence, didn't know what to say, was speechless
quehaceres dómesticos housework
quejarse to complain
químicos chemicals
quitarme to take away from me
quiteños people from Quito
raro strange
rasgos traits

rato while (noun)
al poco rato after a little while
razón: tenía razón was right
pueda que tengas razón you might be right
recién recently
recolectar to pick
reconocer to recognize
recordaba: me recordaba reminded me
recordar to remember, to remind
recorrer to travel around, to go around
recorridos journeys
redonda round
regalar to give
regresar to go back, to come back
regreses: antes de que regreses before you go back
regreso: tomar un bus de regreso to take a bus back
relación relationship
relajaba: me relajaba I would relax (past)
repente: de repente all of a sudden
respeto: por respeto out of respect
respirar to breathe
respuesta answer (noun)
reunirse con to meet with
rico rich (money), delicious
riendo laughing
riesgo risk (noun)
robara: quería que me robara she wanted her to steal from me
robo theft
rodeado de surrounded by
romper to break
roto torn
ruidosa noisy
saber to know
sabor flavor
sacar to take out
salida exit
sin otra salida with no way out
saludar to greet
sánduche sandwich
saqué I took out
se: se la guardó she put it away (on herself)
se lo pregunté a I. I asked this to I.
se me ocurrió (it) occurred to me
se me olvida I forget
sé I know
sea: a él le parecía un desperdicio que un chico que ... sea it seemed to him a waste that a boy that ... be
seguida: en seguida right away
seguido one right after another
seguir to remain, to continue, to keep on, to follow
seguir en pie to remain standing
según according to
seguro sure, certain
selva jungle
semana: siete días a la semana seven days a week
sencilla simple
senderos trails

sensación feeling
sentadas seated
sentí: (me) sentí I felt
sentía I felt
  me sentía bien con I felt comfortable with
  se sentía felt
sentido de humor sense of humor
sentimiento feeling
sentir(se) to feel
ser to be
servidumbre servants
servilleta napkin
sí: I. no tenía permiso ... F. sí I. didn't have permission ... F. did
  no gané con ... pero sí con la última foto I didn't win with ... but instead with the last picture
  sí me parece ... it really does seem ... to me
  sí me parecieron they really did seem to me
  sí quería que yo le fotografiara she really did want me to photograph her
  sí ... se iban a enojar they really would get mad
  sí, tomé I really did take
  sí vestía she really did dress
  soñaba que sí I dreamed that I would (win)
sido: había sido had been
  hubiera sido would have been
siendo being (verb)
sigamos: espero que nos sigamos escribiendo I hope that we keep on writing each other
siglo century
sigo I keep, I continue
siguiente following, next
simple mere
sin without
  sin embargo nevertheless
sino but instead
  no ... sino not ... but
sintiera: estaban pendientes de que yo me sintiera bien they took care that I was comfortable
sirvió helped, allowed, served
  me sirvió para entender helped me to understand
sitio place
sobre about, above
solo: el solo hecho the mere fact
soltera single
sombras shadows
somos we are
son they are, you (pl.) are
sonreír to smile
sonriéndome smiling at me
sonrió smiled
soñaba I dreamed
sorprendido: me dejó soprendido surprised me
sorpresa surprise (noun)
soy I am
  no soy yo it's not me
subir to go up
sueño dream (noun)
suerte luck
  estar de suerte to be in luck
  por suerte fortunately
  tener suerte to be lucky

suficiente enough, good enough
supe I found out
supimos we found out
supo knew
supuesto: por supuesto of course
suspiró sighed
susto fright
  puso una cara de susto she looked scared
tal vez maybe
tampoco not either, neither
tanto so much
  tanto ... como both ... and
tarjeta de crédito credit card
tejas tiles
tela fabric, cloth
telares textiles
  fábrica de telares textile mill
tele TV
tema topic
temporadas seasons
tener: tener que to have to
  tener ... que decir to have ... to say
  tener razón to be right
tengas: pueda que tengas razón you might be right
teoría theory
terminar to finish
ternura tenderness
terreno soil
tiempo time
  tiempo completo full time
  hacía mucho tiempo que long ago
tiene: ¿qué tiene de malo? what's wrong?
tierra land
tímida shy
tímidamente timidly
todo: de todas formas anyway
  de todo all kinds of things
  todo lo que everything that
  todos los de mi familia everyone in my family
tomarle una foto to take her picture
tomé: la foto que le tomé a Carmen the picture that I took of Carmen
tonto dumb, foolish, dummy, fool
tortugas turtles
trabajadoras workers
trabajara: nunca había conocido a ... que trabajara I had never met ... who worked
traer to bring
tranquila calm
tratar to treat
  tratar de to try to
tratamiento treatment
través: a través de through
tropezar(se) to trip, to stumble
tuve I had
  no tuve nada que ver en I had nothing to do with
  tuve que I had to
tuvieron que (they) had to
último last
único unique, only one
  lo único the only thing
vale la pena it's worth it, it's worth the trouble
veces times, occasions
  a veces sometimes
vecino neighbor

veía (she) looked at, (I) was looking at, I saw, (I) watched
se veía looked, appeared, seemed
ven: se ven they look, they appear
vendedores sales people
vender to sell
veo I see
ver to see
no tuve nada que ver en I had nothing to do with
verdad true, truth
de verdad truly
vergüenza embarrassment
me daba vergüenza I was ashamed, embarrassed
tenían vergüenza de que yo estuviera they were embarrassed that I was
vestidas dressed (adj.)
vestirse to dress
vez time, occasion
cada vez más more and more
de vez en cuando from time to time
tal vez maybe
vi I saw
viajar to travel
viaje trip (noun)
vieras: yo quería que vieras I wanted you to see
vine I came
vinieran: quería que vinieran I wanted them to come
vio saw
visiten: tal vez ellos me visiten maybe they'll visit me
vista: punto de vista point of view
visto: había visto had seen
volar to fly
volvamos: espero que ... nos volvamos a ver I hope that ... we'll see each other again
volver to go back, to return
a mis primos les voy a volver a ver I'm going to see my cousins again
volviera: esperando que yo volviera waiting for me to come back
volvió: me volvió loco drove me crazy
vuelta back
todo el camino de vuelta all the way back
estar de vuelta to be back
vuelto returned (p.p.)
de haber vuelto of having returned
ya already, now, before, at this point (in time)
ya no te gustaron you didn't like them anymore
no era ya importante it wasn't so important anymore
ya no querías you didn't want anymore
ya no salía I didn't go out anymore
yendo going
zona area

LA AUTORA

Verónica Moscoso es una escritora ecuatoriana que ha viajado alrededor del mundo y ahora reside en California. Ha trabajado como profesora, periodista, redactora creativa de publicidad, editora y productora de radio. Es una perspicaz observadora de las personas. Su primer libro, que se titula *Historias con sabor a sueño*, fue publicado en el Ecuador. Para información al respecto, consulte su website: www.veromundo.com.

THE AUTHOR

Verónica Moscoso is an Ecuadorian writer who has traveled around the world and now lives in California. She has worked as a teacher, a journalist, an advertising copy writer, an editor and a radio producer. She is a keen observer of humanity. Her first book, titled *Historias con sabor a sueño*, was published in Ecuador. For more information, see her website: www.veromundo.com.

EL DIBUJANTE

Pol es el seudónimo de **Pablo Ortega López**, destacado y premiado ilustrador ecuatoriano que tiene una larga carrera como ilustrador. Actualmente está radicado en el Area de la Bahía de San Francisco en California y se dedica a la animación. Pol creó el dibujo de las portadas de *Los ojos de Carmen* y las demás novelas de la misma serie. Puede visitarlo en:

www.polanimation.com

THE ILLUSTRATOR

Pol is the pseudonym of **Pablo Ortega López**, a distinguished prize-winning Ecuadorian illustrator who has had a long career in drawing and illustration. He is currently living in the San Francisco Bay Area and is working in animation. Pol created the drawing on the covers of *Los ojos de Carmen* and the other novellas in the same series. For information, see his website:

www.polanimation.com

Muchas novelitas más en
español y francés
para estudiantes de todo
nivel
están disponibles en
www.cpli.net
y
www.tprsbooks.com.

Para ciertas novelitas
están disponibles
una guía para
el/la profesor/a,
un CD de audio,
una película en DVD,
y/o
un CD de canciones.

Many more novellas in
Spanish and French
for low beginners through
high advanced students
are available at
www.cpli.net
and
www.tprsbooks.com.

For some novellas
a teacher's guide,
an audio CD,
a movie DVD
and/or
a song CD
are available.

Unas cuantas novelitas
están disponibles para
estudiantes de
alemán,
mandarín,
italiano,
inglés,
ruso
y
latín.

A limited number of
novellas are available
for learners of
German,
Mandarin
Italian,
English,
Russian
and
Latin.

To obtain copies of

Los ojos de Carmen

contact

TPRS Books

or

Command Performance Language Institute

(see title page)

or

one of the distributors listed below.

DISTRIBUTORS

of Command Performance Language Institute Products

Carlex Rochester, Michigan (800) 526-3768 www.carlexonline.com	*Midwest European Publications* Skokie, Illinois (800) 277-4645 www.mep-eli.com	*World of Reading, Ltd.* Atlanta, Georgia (800) 729-3703 www.wor.com
Applause Learning Resources Roslyn, NY (800) APPLAUSE www.applauselearning.com	*Continental Book Co.* Denver, Colorado (303) 289-1761 www.continentalbook.com	*Delta Systems, Inc.* McHenry, Illinois (800) 323-8270 www.delta-systems.com
The CI Bookshop Broek in Waterland THE NETHERLANDS (31) 0612-329694 www.thecibookshop.com	*Taalleermethoden.nl* Ermelo, THE NETHERLANDS (31) 0341-551998 www.taalleermethoden.nl	*Adams Book Company* Brooklyn, NY (800) 221-0909 www.adamsbook.com
TPRS Publishing, Inc. Chandler, Arizona (800) TPR IS FUN = 877-4738 www.tprstorytelling.com	*Teacher's Discovery* Auburn Hills, Michigan (800) TEACHER www.teachersdiscovery.com	*MBS Textbook Exchange* Columbia, Missouri (800) 325-0530 www.mbsbooks.com
International Book Centre Shelby Township, Michigan (810) 879-8436 www.ibcbooks.com	*Piefke Trading* Selangor, MALAYSIA +60 163 141 089 www.piefke-trading.com	*Tempo Bookstore* Washington, DC (202) 363-6683 Tempobookstore@yahoo.com
Follett School Solutions McHenry, Illinois 800-621-4272 www.follettschoolsolutions.com		*Sosnowski Language Resources* Pine, Colorado (800) 437-7161 www.sosnowskibooks.com